CATHOLIC ORDER OF THE MASS

IN ENGLISH AND SPANISH

Catholic Laity Publishing

Published by Catholic Laity Publishing
473 Burnside Court
Phoenix, Arizona 85040
United States of America

ISBN: 9798503330472

CONTENTS/ CONTENIDO

ORDER OF MASS

INTRODUCTORY RITES

When the people (**C**) *are gathered, the Priest* (**P**) *approaches the altar with the altar servers while the Entrance Chant is sung. When he has arrived at the altar, after making a profound bow with the altar servers, the Priest venerates the altar with a kiss and, if appropriate, incenses the cross and the altar. Then, he goes to the chair. As the Entrance Chant is concluded, the Priest and the faithful, standing, sign themselves with the Sign of the Cross, while the Priest, facing the people, says:*

P: In the name of the Father, and of the Son, and of the Holy Spirit.

C: Amen.

Then the Priest, extending his hands, greets the people, saying:

ORDINARIO DE LA MISA

RITOS INICIALES

Reunido el pueblo (**C**), *el sacerdote* (**P**) *con los ministros va al altar mientras se entona el canto de entrada. Cuando llega al altar, el sacerdote con los ministros hace la debida reverencia, besa el altar y, si se juzga oportuno, lo inciensa. Después se dirige con los ministros a la sede. Terminado el canto de entrada, el sacerdote y los fieles, de pie, se santiguan mientras el sacerdote, de cara al pueblo, dice:*

P: En el nombre del Padre, y del Hijo, y del Espíritu Santo.

C: Amén.

El sacerdote, extendiendo las manos, saluda a la pueblo diciendo:

P: The grace of our Lord Jesus Christ, and the love of God, and the communion of the Holy Spirit be with you all.

Or:

Grace to you and peace from God our Father and the Lord Jesus Christ.

Or:

The Lord be with you. (*Or* a Bishop says: Peace be with you).

C: And with your spirit.

P: La gracia de nuestro Señor Jesucristo, el amor del Padre y la comunión del Espíritu Santo esté con todos vosotros.

O bien:

P: La gracia y la paz de Dios, nuestro Padre, y de Jesucristo, el Señor, esté con todos vosotros.

O bien:

P: El Señor esté con vosotros. (*O bien* Un Obispo, puede decir: La paz esté con vosotros.)

C: Y con tu espíritu.

Penitential Act

P: Brethren (brothers and sisters), let us acknowledge our sins, and so prepare ourselves to celebrate the sacred mysteries.

Acto Penitencial

P: Hermanos: para celebrar dignamente estos sagrados misterios reconozcamos nuestros pecados.

A brief pause for silence follows. Then all recite together the formula of general confession:

Form A:

I confess to almighty God and to you, my brothers and sisters, that I have greatly sinned, in my thoughts and in my words, in what I have done and in what I have failed to do,

And, striking their breast, they say:

Through my fault, through my fault, through my most grievous fault;

Then they continue:

Therefore I ask blessed Mary ever-Virgin, all the Angels and Saints, and you, my brothers and sisters, to pray for me to

Se hace una breve pausa en silencio. Después, hacen todos en común la confesión de sus pecados:

Fórmula I:

Yo confieso ante Dios todopoderoso y ante ustedes (vosotros), hermanos, que he pecado mucho de pensamiento, palabra, obra y omisión:

Golpeándose el pecho, dicen:

Por mi culpa, por mi culpa, por mi gran culpa.

Luego prosiguen:

Por eso ruego a santa María, siempre Virgen, a los ángeles, a los santos y a ustedes (vosotros), hermanos, que

the Lord our God.

intercedan por mí ante Dios, nuestro Señor.

P: May almighty God have mercy on us, forgive us our sins, and bring us to everlasting life.

C: Amen.

P: Dios todopoderoso tenga misericordia de nosotros, perdone nuestros pecados y nos lleve a la vida eterna.

C: Amén.

Or:

Form B:

P: Brethren (brothers and sisters), let us acknowledge our sins, and so prepare ourselves to celebrate the sacred mysteries.

A brief pause for silence follows. Then the priest says:

P: Have mercy on us, O Lord.

C: For we have sinned against you.

P: Show us, O Lord, your mercy.

O bien:

Fórmula II:

P: Hermanos: para celebrar dignamente estos sagrados misterios reconozcamos nuestros pecados.

Se hace una breve pausa en silencio.

P: Señor, ten misericordia de nosotros.

C: Porque hemos pecado contra ti.

P: Muéstranos, Señor, tu misericordia.

C: And grant us your salvation.

C: Y danos tu salvación.

P: May almighty God have mercy on us, forgive us our sins, and bring us to everlasting life.

P: Dios todopoderoso tenga misericordia de nosotros, perdone nuestros pecados y nos lleve a la vida eterna.

C: Amen.

C: Amén.

Or:

Form C:

O bien:

Fórmula III:

P: Brethren (brothers and sisters), let us acknowledge our sins, and so prepare ourselves to celebrate the sacred mysteries.

P: Hermanos: para celebrar dignamente estos sagrados misterios reconozcamos nuestros pecados.

A brief pause for silence follows. The Priest, or a Deacon or another minister, then says the following or other invocations:

Se hace una breve pausa en silencio. Después el sacerdote, u otro ministro idóneo, dice las siguientes invocaciones u otras semejantes:

P: You were sent to heal the contrite of heart: Lord, have mercy. (*Or* Kyrie, eléison.)

P: Tú que has sido enviado a sanar los corazones afligidos: Señor, ten piedad. (*O*

C: Lord, have mercy. (*Or* Kyrie, eléison.)

P: You came to call sinners: Christ, have mercy. (*Or* Christe, eléison.)

C: Christ, have mercy. (*Or* Christe, eléison.)

P: You are seated at the right hand of the Father to intercede for us: Lord, have mercy. (*Or* Kyrie, eléison.)

C: Lord, have mercy. (*Or* Kyrie, eléison.)

P: May almighty God have mercy on us, forgive us our sins, and bring us to everlasting life.

C: Amen.

bien: Kyrie, eléison).

C: Señor, ten piedad. (*O bien*: Kyrie, eléison).

P: Tú que has venido a llamar a los pecadores: Cristo ten piedad. (*O bien*: Christe, eléison).

C: Cristo ten piedad. (*O bien*: Christe, eléison).

P: Tú que estás sentado a la derecha del Padre para interceder por nosotros: Señor, ten piedad. (*O bien*: Kyrie, eléison).

C: Señor, ten piedad. (*O bien*: Kyrie, eléison).

P: Dios todopoderoso tenga misericordia de nosotros, perdone nuestros pecados y nos lleve a la vida eterna.

C: Amén.

Kyrie

*The **Kyrie eléison** invocations follow, unless they have just occurred in a formula of the Penitential Act.*

P. Kyrie, eléison.

C. Kyrie, eléison.

P. Christe, eléison.

C. Christe, eléison.

P. Kyrie, eléison.

C. Kyrie, eléison.

Señor, ten piedad

*Siguen las invocaciones **Señor, ten piedad**, a no ser que ya se hayan utilizado en alguna de las fórmulas del acto penitencial.*

P: Señor, ten piedad.

C: Señor, ten piedad.

P: Cristo, ten piedad.

C: Cristo, ten piedad.

P: Señor, ten piedad.

C: Señor, ten piedad.

Gloria

Then, when it is prescribed, this hymn is either sung or said:

Glory to God in the highest,
And on earth peace to people of good will.
We praise you,
We bless you,
We adore you,
We glorify you,
We give you thanks for your great glory, Lord

Gloria

A continuación, si está prescrito, se canta el himno:

Gloria a Dios en el cielo,
Y en la tierra paz a los hombres
Que ama el Señor.
Por tu inmensa gloria
Te alabamos,
Te bendecimos,
Te adoramos,
Te glorificamos,
Te damos gracias,

God, heavenly King,
O God, almighty Father.
Lord Jesus Christ, Only
Begotten Son,
Lord God, Lamb of God,
Son of the Father,
You take away the sins of
the world,
Have mercy on us;
You take away the sins of
the world,
Receive our prayer;
You are seated at the
right hand of the Father,
Have mercy on us.
For you alone are the
Holy One,
You alone are the Lord,
You alone are the Most
High, Jesus Christ,
With the Holy Spirit,
In the glory of God the
Father. Amen.

Señor Dios, Rey celestial,
Dios Padre
todopoderoso.
Señor, Hijo único,
Jesucristo.
Señor Dios, Cordero de
Dios, Hijo del Padre;
Tú que quitas el pecado
del mundo, ten piedad
de nosotros;
Tú que quitas el pecado
del mundo, atiende
nuestra súplica;
Tú que estás sentado a la
derecha del Padre, ten
piedad de nosotros;
Porque sólo tú eres
Santo, Sólo tú Señor,
Sólo tú Altísimo,
Jesucristo,
Con el Espíritu Santo, en
la Gloria de Dios Padre.
Amén.

The Collect (Opening Prayer)

P: Let us pray.

And all pray in silence with the Priest for a while.
Then the Priest, with hands extended, says the Collect prayer, at the end of which the people acclaim:

C: Amen.

Oración Colecta

P: Oremos.

Y todos, junto con el sacerdote, oran en silencio durante unos momentos. Después el sacerdote, con las manos extendidas, dice la oración colecta. Al final de la oración el pueblo aclama:

C: Amén.

LITURGY OF THE WORD

The reader (**R**) *goes to the ambo and reads the First Reading, while all sit and listen. To indicate the end of the reading, the reader acclaims:*

R: The word of the Lord.

C: Thanks be to God.

This is followed by the psalmist or cantor who sings or says the Psalm, with the people making the response. After this, if there is to be a Second Reading, the reader reads it from the ambo, as above. To indicate the end of the

LITURGIA DE LA PALABRA

El lector (**R**) *va al ambón y lee la primera lectura, que todos escuchan sentados. Para indicar el fin de la lectura, el lector dice:*

R: Palabra de Dios.

C: Te alabamos, Señor.

El salmista o el cantor proclama el salmo, y el pueblo intercala la respuesta, a no ser que el salmo se diga seguido sin estribillo del pueblo. Si hay segunda lectura, se lee en el ambón, como la primera. Para indicar el fin de la lectura, el

reading, the reader acclaims:

R: The word of the Lord.

C: Thanks be to God.

There follows the **Alleluia**, *as the liturgical time requires. Meanwhile, if incense is used, the Priest puts some into the thurible. After this, the Deacon* (**D**) *who is to proclaim the Gospel, bowing profoundly before the Priest, asks for the blessing, saying in a low voice:*

D: Your blessing, Father.

The Priest says in a low voice:

P: May the Lord be in your heart and on your lips, that you may proclaim his Gospel worthily and well, in the name of the Father and of the Son and of the Holy Spirit.

D: Amen.

If, however, a Deacon is not present, the Priest, bowing before

lector dice:

R: Palabra de Dios.

C: Te alabamos, Señor.

Sigue el **Aleluya** *o, en tiempo de Cuaresma, el canto antes del Evangelio. Mientras tanto, si se usa incienso, el sacerdote lo pone en el incensario. Después el diácono* (**D**) *que ha de proclamar el Evangelio, inclinado ante el sacerdote, pide la bendición, diciendo en voz baja:*

D: Padre, dame tu bendición.

El sacerdote en voz baja dice:

P: El Señor esté en tu corazón y en tus labios, para que anuncies dignamente su Evangelio; en el nombre del Padre, y del Hijo, y del Espíritu Santo.

D: Amén.

Si el mismo sacerdote debe proclamar el Evangelio, inclinado

the altar, says quietly:

P: Cleanse my heart and my lips, almighty God, that I may worthily proclaim your holy Gospel.

The Deacon, or the Priest, then proceeds to the ambo, accompanied, if appropriate, by altar servers with incense and candles. There he says:

P: The Lord be with you.

C: And with your spirit.

The Deacon, or the Priest:

A reading from the holy Gospel according to N.

And, at the same time, he makes the Sign of the Cross on the book and on his forehead, lips, and breast. The people acclaim:

C: Glory to you, O Lord.

Then the Deacon, or the Priest, incenses the book, if incense is used, and proclaims the Gospel. At the end of the Gospel, the

ante el altar, dice en secreto:

P: Purifica mi corazón y mis labios, Dios todopoderoso, para que anuncie dignamente tu Evangelio.

Después el diácono (o el sacerdote) va al ambón, acompañado eventualmente por los ministros que llevan el incienso y los cirios; ya en el ambón dice:

P: El Señor esté con ustedes (vosotros).

C: Y con tu espíritu.

El diácono (o el sacerdote):

Lectura del santo Evangelio según san N.

Y mientras tanto hace la señal de la cruz sobre el libro y sobre su frente, labios y pecho. El pueblo aclama:

C: Gloria a ti, Señor.

El diácono (o el sacerdote), si se usa incienso, inciensa el libro. Luego proclama el Evangelio. Acabado el Evangelio el diácono

Deacon, or the Priest, acclaims:

The Gospel of the Lord.

C: Praise to you, Lord Jesus Christ.

Then follows the Homily, which is to be preached by a Priest or Deacon.

(o el sacerdote) dice:

Palabra del Señor.

C: Gloria ti, Señor Jesús.

Luego sigue la homilía, que debe ser predicada por un sacerdote o diácono.

Profession of Faith Nicene Constantinopolitan creed

I believe in one God,
The Father almighty,
Maker of heaven and earth, of all things visible and invisible.
I believe in one Lord Jesus Christ, the Only Begotten Son of God, born of the Father before all ages. God from God, Light from Light, true God from true God,

Profesión de Fe Símbolo Niceno-Constantinopolitano

Creo en un solo Dios,
Padre Todopoderoso,
Creador del cielo y de la tierra. De todo lo visible y lo invisible.
Creo en un solo Señor, Jesucristo, Hijo único de Dios, Nacido del Padre antes de todos los siglos: Dios de Dios, Luz de Luz, Dios verdadero de Dios verdadero,

begotten, not made, consubstantial with the Father; through him all things were made. For us men and for our salvation, He came down from heaven, and by the Holy Spirit was incarnate of the Virgin Mary, and became man. For our sake he was crucified under Pontius Pilate, he suffered death and was buried, and rose again on the third day in accordance with the Scriptures. He ascended into heaven and is seated at the right hand of the Father. He will come again in glory to judge the living and the dead and his kingdom will have no end.

Engendrado, no creado, De la misma naturaleza del Padre, Por quien todo fue hecho; Que por nosotros, los hombres, Y por nuestra salvación bajó del cielo, Y por obra del Espíritu Santo Se encarnó de María, la Virgen, Y se hizo hombre; Y por nuestra causa fue crucificado En tiempos de Poncio Pilato; Padeció y fue sepultado, Y resucitó al tercer día, según las Escrituras, Y subió al cielo, y está sentado a la derecha del Padre; Y de nuevo vendrá con gloria Para juzgar a vivos y muertos, Y su reino no tendrá fin.

Creo en el Espíritu Santo,

I believe in the Holy Spirit, the Lord, the giver of life, who proceeds from the Father and the Son, who with the Father and the Son is adored and glorified, who has spoken through the prophets.
I believe in one, holy, catholic and apostolic Church.
I confess one Baptism for the forgiveness of sins and I look forward to the resurrection of the dead and the life of the world to come. Amen.

Instead of the Nicene Creed, especially during Lent and Easter Time, the baptismal Symbol of the Catholic Church, known as the Apostles' Creed, may be used.

Señor y dador de vida, Que procede del Padre y del Hijo, Que con el Padre y el Hijo Recibe una misma adoración y gloria, Y que habló por los profetas.
Creo en la Iglesia,
Que es una, santa, católica y apostólica.
Confieso que hay un solo Bautismo para el perdón de los pecados.
Espero la resurrección de los muertos
Y la vida del mundo futuro.
Amén.

Para utilidad de los fieles, en lugar del símbolo niceno-constantinopolitano, la profesión de fe se puede hacer, especialmente en el tiempo de Cuaresma y en la Cincuentena pascual, con el siguiente símbolo

Apostles' Creed

I believe in God, the Father almighty, creator of heaven and earth, and in Jesus Christ, his only Son, our Lord, who was conceived by the Holy Spirit, born of the Virgin Mary, suffered under Pontius Pilate, was crucified, died and was buried; he descended into hell; On the third day he rose again from the dead; He ascended into heaven, and is seated at the right hand of God the Father almighty; From there he will come to judge the living and the dead.

I believe in the Holy Spirit, the holy Catholic

llamado de los apóstoles:

De Los Apóstoles

Creo en Dios, Padre todopoderoso, Creador del cielo y de la tierra.

Creo en Jesucristo, su único Hijo, nuestro Señor, Que fue concebido por obra y gracia del Espíritu Santo, Nació de santa María Virgen, Padeció bajo el poder de Poncio Pilato, Fue crucificado, muerto y sepultado, Descendió a los infiernos, Al tercer día resucitó de entre los muertos, Subió a los cielos y está sentado a la derecha de Dios, Padre todopoderoso. Desde allí ha de venir a juzgar a vivos y muertos.

Creo en el Espíritu Santo,

Church, the communion of saints, the forgiveness of sins, the resurrection of the body, and life everlasting. Amen.

La santa Iglesia católica, La comunión de los santos, El perdón de los pecados, La resurrección de la carne Y la vida eterna. Amén.

LITURGY OF THE EUCHARIST

The Priest, standing at the altar, takes the paten with the bread and holds it slightly raised above the altar with both hands, saying in a low voice:

P: Blessed are you, Lord God of all creation, for through your goodness we have received the bread we offer you: fruit of the earth and work of human hands, it will become for us the bread of life.

Then he places the paten with the bread on the corporal. If, however,

LITURGIA EUCARÍSTICA

El sacerdote se acerca al altar, toma la patena con el pan y, manteniéndola un poco elevada sobre el altar, dice en secreto:

P: Bendito seas, Señor, Dios del universo, por este pan, fruto de la tierra y del trabajo del hombre, que recibimos de tu generosidad y ahora te presentamos; él será para nosotros pan de vida.

Después deja la patena con el pan sobre el corporal. Si no se canta

the Offertory Chant is not sung, the Priest may speak these words aloud; at the end, the people may acclaim:

C: Blessed be God for ever.

The Deacon, or the Priest, pours wine and a little water into the chalice, saying quietly:

P: By the mystery of this water and wine, may we come to share in the divinity of Christ who humbled himself to share in our humanity.

The Priest then takes the chalice and holds it slightly raised above the altar with both hands, saying in a low voice:

P: Blessed are you, Lord God of all creation, for through your goodness we have received the wine we offer you: fruit of the vine and work of

durante la presentación de las ofrendas, el sacerdote puede decir en voz alta estas palabras; al final el pueblo aclama:

C: Bendito seas por siempre, Señor.

El diácono, o el sacerdote, echa vino y un poco de agua en el cáliz, diciendo en secreto:

P: El agua unida al vino sea signo de nuestra participación en la vida divina de quien ha querido compartir nuestra condición humana.

Después el sacerdote toma el cáliz y, manteniéndolo un poco elevado sobre el altar, dice en secreto:

P: Bendito seas, Señor, Dios del universo, por este vino, fruto de la vid y del trabajo del hombre, que recibimos de tu generosidad y ahora te

human hands, it will become our spiritual drink.

Then he places the chalice on the corporal. If, however, the offertory chant is not sung, the Priest may speak these words aloud; at the end, the people may acclaim:

C: Blessed be God for ever.

Standing at the middle of the altar, facing the people, extending and then joining his hands, he says:

P: Pray, brethren (brothers and sisters), that my sacrifice and yours may be acceptable to God, the almighty Father.

presentamos; él será para nosotros bebida de salvación.

Después deja el cáliz sobre el corporal. Si no se canta durante la presentación de las ofrendas, el sacerdote puede decir en voz alta estas palabras; al final el pueblo puede aclamar:

C: Bendito seas por siempre, Señor.

Después, de pie en el centro del altar y de cara al pueblo, extendiendo y juntando las manos, dice una de las siguientes fórmulas:

P: Oren (Orad), hermanos, para que este sacrificio, mío y de ustedes (y vuestro), sea agradable a Dios, Padre todopoderoso.

O bien:

P: En el momento de ofrecer el sacrificio de toda la Iglesia, oremos a

Dios, Padre todopoderoso.

O bien:

P: Oren (Orad), hermanos, para que, llevando al altar los gozos y las fatigas de cada día nos dispongamos a ofrecer el sacrificio agradable a Dios, Padre todopoderoso.

C: May the Lord accept the sacrifice at your hands for the praise and glory of his name, for our good and the good of all his holy Church.

C: El Señor reciba de tus manos este sacrificio, para alabanza y gloria de su nombre, para nuestro bien y el de toda su santa Iglesia.

Then the Priest, with hands extended, says the Prayer over the Gifts, at the end of which the people acclaim:

Luego el sacerdote, con las manos extendidas, dice la oración sobre las ofrendas. Al final el pueblo aclama:

C: Amen.

C: Amén.

Eucharist Prayer II

P: The Lord be with you.

C: And with your spirit.

P: Lift up your hearts.

C: We lift them up to the Lord.

P: Let us give thanks to the Lord our God.

C: It is right and just.

P: It is truly right and just, our duty and our salvation, always and everywhere to give you thanks, Father most holy, through your beloved Son, Jesus Christ, your Word through whom you made all things, whom you sent as our Savior and Redeemer, incarnate by the Holy Spirit and born of the

Plegaria Eucarística II

P: El Señor esté con ustedes (vosotros).

C: Y con tu espíritu.

P: Levantemos el corazón.

C: Lo tenemos levantado hacia el Señor.

P: Demos gracias al Señor, nuestro Dios.

C: Es justo y necesario.

P: En verdad es justo y necesario, es nuestro deber y salvación darte gracias, Padre santo, siempre y en todo lugar, por Jesucristo, tu Hijo amado. Por él, que es tu Palabra, hiciste todas las cosas; tú nos lo enviaste para que, hecho hombre por obra del Espíritu Santo y nacido de María, la Virgen, fuera nuestro

Virgin.
Fulfilling your will and gaining for you a holy people, he stretched out his hands as he endured his Passion, so as to break the bonds of death and manifest the resurrection.
And so, with the Angels and all the Saints we declare your glory, as with one voice we acclaim:

Holy, Holy, Holy Lord God of hosts.
Heaven and earth are full of your glory.
Hosanna in the highest.
Blessed is he who comes in the name of the Lord.
Hosanna in the highest.

The Priest, with hands extended, says:

Salvador y Redentor
Él, en cumplimiento de tu voluntad, para destruir la muerte y manifestar la resurrección, extendió sus brazos en la cruz, y así adquirió para ti un pueblo santo.
Por eso, con los ángeles y los santos, proclamamos tu gloria, diciendo:

Santo, Santo, Santo es el Señor, Dios del universo.
Llenos están el cielo y la tierra de tu gloria.
Hosanna en el cielo.
Bendito el que viene en nombre del Señor.
Hosanna en el cielo.

El sacerdote, con las manos extendidas, dice:

You are indeed Holy, O Lord, the fount of all holiness.

He joins his hands and, holding them extended over the offerings, says:

Make holy, therefore, these gifts, we pray, by sending down your Spirit upon them like the dewfall, so that they may become for us the Body and Blood of our Lord Jesus Christ.

He joins his hands.

At the time he was betrayed and entered willingly into his Passion,

He takes the bread and, holding it slightly raised above the altar, continues:

He took bread and, giving thanks, broke it,

Santo eres en verdad, Señor, fuente de toda santidad;

Junta las manos y, manteniéndolas extendidas sobre las ofrendas, dice:

Por eso te pedimos que santifiques estos dones con la efusión de tu Espíritu, de manera que sean para nosotros Cuerpo y Sangre de Jesucristo, nuestro Señor.

Junta las manos.

En esta misma noche, cuando iba a ser entregado a su Pasión, voluntariamente aceptada,

Toma el pan y, sosteniéndolo un poco elevado sobre el altar, prosigue:

Tomó pan, dándote gracias, lo partió y lo dio

and gave it to his disciples, saying:

He bows slightly.

TAKE THIS, ALL OF YOU, AND EAT OF IT, FOR THIS IS MY BODY, WHICH WILL BE GIVEN UP FOR YOU.

a sus discípulos, diciendo:

Se inclina un poco.

TOMAD Y COMED TODOS DE ÉL, PORQUE ÉSTO ES MI CUERPO QUE SERÁ ENTREGADO POR VOSOTROS.

He shows the consecrated host to the people, places it again on the paten, and genuflects in adoration. Then he says:

In a similar way, when supper was ended,

Muestra el pan consagrado al pueblo, lo deposita luego sobre la patena y lo adora haciendo genuflexión. Después prosigue:

Del mismo modo, acabada la cena,

He takes the chalice and, holding it slightly raised above the altar, continues:

He took the chalice and, once more giving thanks, he gave it to his disciples, saying:

Toma el cáliz y, sosteniéndolo un poco elevado sobre el altar, dice:

Tomó este cáliz glorioso en sus santas y venerables manos; dando gracias te bendijo, y lo dio a sus discípulos diciendo:

He bows slightly.

TAKE THIS, ALL OF YOU, AND DRINK FROM IT, FOR THIS IS THE CHALICE OF MY BLOOD, THE BLOOD OF THE NEW AND ETERNAL COVENANT, WHICH WILL BE POURED OUT FOR YOU AND FOR MANY FOR THE FORGIVENESS OF SINS. DO THIS IN MEMORY OF ME.

He shows the chalice to the people, places it on the corporal, and genuflects in adoration. Then he says:

P: The mystery of faith.

Se inclina un poco.

TOMAD Y BEBED TODOS DE ÉL, PORQUE ÉSTE ES EL CÁLIZ DE MI SANGRE, SANGRE DE LA ALIANZA NUEVA Y ETERNA, QUE SERÁ DERRAMADA POR VOSOTROS Y POR MUCHOS PARA EL PERDÓN DE LOS PECADOS. HACED ESTO EN CONMEMORACIÓN MÍA.

Muestra el cáliz al pueblo, lo deposita luego sobre el corporal y lo adora haciendo genuflexión. Entonces el dice:

P: Éste es el Misterio de la fe.

O bien:

P: Éste es el Sacramento

de nuestra fe.

C: We proclaim your Death, O Lord, and profess your Resurrection until you come again.

C: Anunciamos tu muerte, proclamamos tu resurrección. ¡Ven, Señor Jesús!

Or:

C: When we eat this Bread and drink this Cup, we proclaim your Death, O Lord, until you come again.

Or:

C: Save us, Savior of the world, for by your Cross and Resurrection you have set us free.

Then the Priest, with hands extended, says:

P: Therefore, as we celebrate the memorial of his Death and Resurrection, we offer you, Lord, the Bread of

Después el sacerdote, con las manos extendidas, dice:

P: Así, pues, Padre, al celebrar ahora el memorial de la muerte y resurrección de tu Hijo, te ofrecemos el pan de

life and the Chalice of salvation, giving thanks that you have held us worthy to be in your presence and minister to you.
Humbly we pray that, partaking of the Body and Blood of Christ, we may be gathered into one by the Holy Spirit.
Remember, Lord, your Church, spread throughout the world, and bring her to the fullness of charity, together with N. our Pope and N. our Bishop and all the clergy.
Remember also our brothers and sisters who have fallen asleep in the hope of the resurrection, and all who have died in

vida y el cáliz de salvación, y te damos gracias porque nos haces dignos de servirte en tu presencia.
Te pedimos humildemente que el Espíritu Santo congregue en la unidad a cuantos participamos del Cuerpo y Sangre de Cristo.
Acuérdate, Señor, de tu Iglesia extendida por toda la tierra; y con el Papa N., con nuestro Obispo N. y todos los pastores que cuidan de tu pueblo, llévala a su perfección por la caridad.
Acuérdate también de nuestros hermanos que se durmieron en la esperanza de la resurrección, y de todos

your mercy: welcome them into the light of your face.
Have mercy on us all, we pray, that with the Blessed Virgin Mary, Mother of God, with the blessed Apostles, and all the Saints who have pleased you throughout the ages, we may merit to be coheirs to eternal life, and may praise and glorify you through your Son, Jesus Christ.

He takes the chalice and the paten with the host and, raising both, he says:

P: Through him, and with him, and in him, O God, almighty Father, in the unity of the Holy Spirit, all glory and honor is yours, for ever

los que han muerto en tu misericordia; admítelos a contemplar la luz de tu rostro.
Ten misericordia de todos nosotros, y así, con María, la Virgen Madre de Dios, los apóstoles y cuantos vivieron en tu amistad a través de los tiempos, merezcamos, por tu Hijo Jesucristo, compartir la vida eterna y cantar tus alabanzas.

Toma la patena con el pan consagrado, y el cáliz y, sosteniéndolos elevados, dice:

P: Por Cristo, con él y en él, a ti, Dios Padre omnipotente, en la unidad del Espíritu Santo, todo honor y toda gloria por los siglos de

and ever.

C: Amen.

los siglos.

C: Amén.

COMMUNION RITES

After the chalice and paten have been set down, the Priest, with hands joined, says:

P: At the Savior's command and formed by divine teaching, we dare to say:

He extends his hands and, together with the people, continues:

Our Father, who art in heaven, hallowed be thy name; thy kingdom come, thy will be done on earth as it is in heaven.

Give us this day our daily bread, and forgive us our trespasses, as we forgive those who

RITOS DE COMUNIÓN

Una vez que ha dejado el cáliz y la patena, el sacerdote, con las manos juntas, dice:

P: Fieles a la recomendación del Salvador y siguiendo su divina enseñanza, nos atrevemos a decir:

Extiende las manos y, junto con el pueblo, continúa:

Padre nuestro, que estás en el cielo, Santificado sea tu nombre; Venga a nosotros tu reino; Hágase tu voluntad en la tierra como en el cielo.

Danos hoy nuestro pan de cada día; Perdona nuestras ofensas, Como nosotros perdonamos a

trespass against us; and lead us not into temptation, but deliver us from evil.

With hands extended, the Priest alone continues, saying:

P: Deliver us, Lord, we pray, from every evil, graciously grant peace in our days, that, by the help of your mercy, we may be always free from sin and safe from all distress, as we await the blessed hope and the coming of our Savior, Jesus Christ.

He joins his hands.

The people conclude the prayer, acclaiming:

C: For the kingdom, the power and the glory are yours now and forever.

Then the Priest, with hands

los que nos ofenden; No nos dejes caer en la tentación, Y líbranos del mal.

El sacerdote, con las manos extendidas, prosigue él solo:

P: Líbranos de todos los males, Señor, y concédenos la paz en nuestros días, para que, ayudados por tu misericordia, vivamos siempre libres de pecado y protegidos de toda perturbación, mientras esperamos la gloriosa venida de nuestro Salvador Jesucristo.

Junta las manos.

El pueblo concluye la oración aclamando:

C: Tuyo es el reino, tuyo el poder y la gloria por siempre, Señor.

Después el sacerdote, con las

extended, says aloud:

P: Lord Jesus Christ, who said to your Apostles: **Peace I leave you, my peace I give you**; look not on our sins, but on the faith of your Church, and graciously grant her peace and unity in accordance with your will. Who live and reign for ever and ever.

C: Amen.

The Priest, turned towards the people, extending and then joining his hands, adds:

P: The peace of the Lord be with you always.

C: And with your spirit.

P: Let us offer each other the sign of peace.

manos extendidas, dice en voz alta:

P: Señor Jesucristo, que dijiste a tus Apóstoles: **La paz les (os) dejo, mi paz les (os) doy**, no tengas en cuenta nuestros pecados, sino la fe de tu Iglesia, y conforme a tu palabra, concédele la paz y la unidad. Tú que vives y reinas por los siglos de los siglos.

C: Amén.

El sacerdote, extendiendo y juntando las manos, añade:

P: La paz del Señor esté siempre con vosotros.

C: Y con tu espíritu.

P: Dense (Daos) fraternalmente la paz.

Breaking of the Bread

Meanwhile the following is sung or said:

C: Lamb of God, you take away the sins of the world, have mercy on us.

C: Lamb of God, you take away the sins of the world, have mercy on us.

C: Lamb of God, you take away the sins of the world, grant us peace.

The Priest genuflects, takes the host and, holding it slightly raised above the paten or above the chalice, while facing the people, says aloud:

P: Behold the Lamb of God, Behold him who takes away the sins of the world. Blessed are those called to the supper of the Lamb.

Fracción del Pan

Mientras tanto se canta o se dice:

C: Cordero de Dios que quitas el pecado del mundo, ten piedad de nosotros.

C: Cordero de Dios que quitas el pecado del mundo, ten piedad de nosotros.

C: Cordero de Dios que quitas el pecado del mundo, danos la paz.

El sacerdote hace genuflexión, toma el pan consagrado y, sosteniéndolo un poco elevado sobre la patena, lo muestra al pueblo, diciendo:

P: Éste es el Cordero de Dios, que quita el pecado del mundo. Dichosos los invitados a la cena del Señor.

And together with the people he adds once:

Lord, I am not worthy that you should enter under my roof, but only say the word and my soul shall be healed.

The Priest, facing the altar, says quietly:

P: May the Body of Christ keep me safe for eternal life.

And he reverently consumes the Body of Christ. Then he takes the chalice and says quietly:

P: May the Blood of Christ keep me safe for eternal life.

And he reverently consumes the Blood of Christ.

Y, juntamente con el pueblo, añade una vez:

Señor, no soy digno de que entres en mi casa, pero una palabra tuya bastará para sanarme.

El sacerdote, de cara al altar, dice en secreto:

P: El Cuerpo de Cristo me guarde para la vida eterna.

Y comulga reverentemente el Cuerpo de Cristo. Después toma el cáliz y dice en secreto:

P: La Sangre de Cristo me guarde para la vida eterna.

Y bebe reverentemente la Sangre de Cristo.

Communion

After this, he takes the paten or ciborium and approaches the communicants. The Priest raises a host slightly and shows it to

Comunión

Después toma la patena o la píxide, se acerca a los que quieren comulgar y les presenta el pan consagrado, que sostiene un poco

each of the communicants, saying:

P: The Body of Christ.

The communicant replies:

Amen.

(And receives Holy Communion)

elevado, diciendo a cada uno de ellos:

P: El Cuerpo de Cristo.

El que va a comulgar responde:

Amén.

(Y comulga.)

Prayer after Communion

When the distribution of Communion is over, the Priest or a Deacon or an acolyte purifies the paten over the chalice and also the chalice itself. While he carries out the purification, the Priest says quietly:

P: What has passed our lips as food, O Lord, may we possess in purity of heart, that what has been given to us in time may be our healing for eternity.

Then, standing at the altar or at the chair and facing the people,

Oración después de la Comunión

Acabada la comunión, el diácono, el acólito, o el mismo sacerdote, purifica la patena sobre el cáliz y también el mismo cáliz. Durante a purificação, el sacerdote dice en silêncio:

P: Haz, Señor, que recibamos con un corazón limpio el alimento que acabamos de tomar, y que el don que nos haces en esta vida nos aproveche para la eterna.

Luego, de pie en el altar o en la silla y de cara al pueblo, con las

with hands joined, the Priest says:

P: Let us pray.

The Priest, with hands extended, says the Prayer after Communion, at the end of which the people acclaim:

C: Amen.

manos unidas, el sacerdote dice:

P: Oremos.

Después el sacerdote, con las manos extendidas, dice la oración después de la comunión. El pueblo aclama:

C: Amén.

CONCLUDING RITES

The Priest, facing the people and extending his hands, says:

Blessing

P: The Lord be with you.

C: And with your spirit.

P: May almighty God bless you, the Father, and the Son, and the Holy Spirit.

C: Amen.

Dismissal

P: Go forth, the Mass is

RITOS DE CONCLUSIÓN

El sacerdote extiende las manos hacia el pueblo y dice:

Bendición

P: El Señor esté con vosotros.

C: Y con tu espíritu.

P: La bendición de Dios todopoderoso, Padre, Hijo y Espíritu Santo, descienda sobre vosotros.

C: Amén.

Despido

P: Pueden (Podéis) ir en

ended.

Or:

Go and announce the Gospel of the Lord.

Or:

Go in peace, glorifying the Lord by your life.

Go in peace.

C: Thanks be to God.

The congregation remains standing until the priest and the procession have left the church.

paz.

O bien:

La alegría del Señor sea nuestra fuerza.
Pueden (Podéis) ir en paz.

O bien:

Glorifiquen (Glorificad) al Señor con su vida.
Pueden (Podéis) ir en paz.

O bien:

En el nombre del Señor, pueden (podéis) ir en paz.

C: Demos gracias a Dios.

La congregación permanece de pie hasta que el sacerdote y la procesión hayan abandonado la iglesia.

Made in the USA
Las Vegas, NV
19 October 2023

79152179R00022